scharnieren
camera
kompas

AVI:	M5
Leesmoeilijkheid:	woorden met een c die uitgesproken wordt als k (pincode, clubje)
Thema:	techniek

Zwijsen

Willem Eekhof
Niet Aankomen!

met tekeningen van Jan van Lierde

Naam: *Koen Wisse*

Ik woon met: *mijn vader, moeder en hond Bikkel*

Dit doe ik het liefst: *dingen verzinnen en bouwen*

Hier heb ik een hekel aan: *als dingen die ik verzin en bouw, kapotgaan*

Later word ik: *uitvinder*

Mijn favoriete speelgoed: *technisch lego*

1. Een leeuw met een verrekijker

'Heftige hefbomen!' schreeuwt Koen uit.
Zijn zelfgemaakte stappenteller is losgeschoten en Koen is gevallen.
Omdat het pijn doet, verzint hij er ook nog een dansje bij.
Koen vindt bouwen en knutselen heel erg leuk.
Helaas is hij erg onhandig.
Maar Koen geeft nooit op, hij blijft dingen verzinnen en bouwen.
En rare dingen roepen als het misgaat:
'Machtige magneten!' of 'Krachtige katrollen!'
Omdat er vaak iets misgaat, roept Koen bijna elke dag wel iets nieuws.
Carola moet er altijd erg om lachen.
Ze kent Koen al jaren, maar ze blijft zich verbazen over wat hij steeds weer verzint.

'Weet je wat handig zou zijn?' zegt Koen.
Hij probeert zijn stappenteller weer in elkaar te zetten.
'Ik ben benieuwd,' zegt Carola, 'vertel het maar.'
Carola luistert graag naar de verhalen van Koen.
Hij is niet voor niets haar beste vriend.
Ze zitten ook elke dag bij elkaar in groep 5.
Eigenlijk vormen ze met Bas een hecht vriendenclubje.

Maar Bas kon jammer genoeg niet mee op vakantie.
Koen en Carola zijn voor het eerst met elkaar op vakantie.
Twee weken lang op de camping.

'Het zou handig zijn, als dieren ook gereedschap hadden,' zegt Koen.
'Wat bedoel je?' zegt Carola.
'Een leeuw met een verrekijker of zo.'
Carola ziet het helemaal voor zich en schiet in de lach.
'Een specht met een boormachine.
Of een olifant met een hogedrukspuit in plaats van een slurf of een mol met een graafmachine.'
'Flauw,' zegt Koen, 'je snapt echt wel wat ik bedoel.
Sommige apen gebruiken bijvoorbeeld een stok om in een mierenhoop te steken.
Die stok likken ze daarna af.
Dat is ook gereedschap.
Als dieren gereedschap zouden gebruiken, zou de wereld er anders uitzien.'
'Je hebt gelijk,' hikt Carola nog na.
'Maar nu even serieus, weet jij waar we zijn?'
'Ik heb geen idee,' mompelt Koen.
'Vraag het maar aan die leeuw met die verrekijker.'

2. De trektocht

De ouders van Koen en Carola zijn al heel lang vrienden.
Normaal zou Carola met haar eigen ouders en broertje Kris op vakantie zijn gegaan.
Maar Kris heeft een ongelukje gehad toen hij aan het spelen was met Koen.
Daarom moet hij nu een poosje thuisblijven en mag hij zijn hoofd niet te veel bewegen.
Daarom mocht Carola met Koen mee op vakantie.
Eerlijk gezegd vindt ze dat helemaal niet erg.
Met de familie Wisse kun je van alles beleven!
Meneer Wisse was vroeger verkenner bij de scouting.
En hij heeft wel drie weken in het leger gezeten.
Nu is hij baas van een fabriek die snoepgoed maakt.
Geen spannend beroep, maar hij ruikt wel elke dag naar zoetigheid.
Meneer Wisse weet heel veel over de natuur.
Hij is ook een expert in survivallen.
Dat is overleven in de vrije natuur met de spullen die je daar vindt.
Meneer Wisse zegt vaak: 'Als je een beetje handig bent, kun je jezelf altijd redden.'
Koen lijkt echt heel veel op zijn vader.
Mevrouw Wisse is net als Carola gek op fotografie.
Ze houdt van de natuur en maakt graag opnamen van bloemen.

Carola heeft die ochtend gevraagd of ze een lange tocht mocht maken.
Ze wilde graag foto's maken van planten en bomen.
Meneer en mevrouw Wisse moesten even overleggen, maar toen mocht het.
Maar alleen op een paar voorwaarden.

1. Koen moest meegaan (dat vond hij helemaal niet erg).
2. Ze moesten voor de zekerheid een mobiele telefoon meenemen.
3. Ze moesten een rugzak meenemen met eten, drinken en een kaart.
4. Ze moesten voor het donker terug zijn.

Volgens Koen was dat geen enkel probleem.
Hij zou er wel voor zorgen dat het allemaal in orde kwam.
Toen gingen ze zorgeloos op pad.

3. Pincode

'Ik heb geen idee waar we zijn.'
Koen staat met zijn mond half open naar een boom te kijken.
Hij heeft van zijn vader geleerd dat je aan het mos op de stam kunt zien waar het noorden of het zuiden is.
'Waarom sta je tegen die boom te praten?' vraagt Carola.
'Laat maar,' zegt Koen, 'waarom bel je mijn ouders niet even om de weg te vragen?
Je hebt toch een mobieltje in je rugzak?'
Carola haalt de telefoon uit haar rugzak.
'Weet jij de pincode?' vraagt ze.
'Hij staat toch aan?' zegt Koen.
'Wat heb je anders aan een mobiele telefoon?'
'Ik heb hem uitgezet om batterijen te sparen,' zegt Carola.
'Nu vraagt hij om een code.'
'Dan bel je toch even op om de code te vragen?' zegt Koen.
Carola kijkt Koen aan en schudt haar hoofd.
'O nee, dat kan natuurlijk niet, probeer anders maar gewoon wat.
Soms laten mensen de standaardcode erin staan en dat is dan 0000.'
'Ik probeer wel wat,' zegt Carola.
Ze drukt op 0 0 0 0 en dan op OK.
Er klinkt een piepje.

Ingevoerde code onjuist staat er in het scherm.
U hebt nog één poging.
'Dan is het vaak 1234,' zegt Koen, 'probeer dat maar eens.'
'Ik hoop dat je gelijk hebt, want anders kunnen we echt niet meer bellen,' zegt Carola.
Ze drukt op 1 2 3 4, wacht even en drukt op OK.
Er klinkt een langer piepje.
Zoek de pukcode, meegeleverd bij dit toestel om te deblokkeren staat er in het scherm.
'Brullende batterijen,' zegt Koen, 'wat een pech.'
'Waarom neem je eigenlijk een telefoon mee waarvan je de code niet weet?'
'Die telefoon is van jouw moeder,' zegt Carola.
'Oh, maar dan weet ik de pincode wel,' zegt Koen.
'Het is mijn verjaardag: 0406.'
Carola zucht en stopt de telefoon weer in de rugzak.
'Dat werkt nu niet meer, natuurlijk.
Laten we maar gaan lopen,' moppert ze.
'Vergeet je boom geen gedag te zeggen.'

4. Ongerust

'Die lopen vast niet in zeven sloten tegelijk,' zegt meneer Wisse op de camping.
'Ik ben toch ongerust,' antwoordt zijn vrouw.
'Koen is wel onze zoon, maar Carola is niet onze dochter.
Op kinderen die niet van jezelf zijn, moet je eigenlijk nog beter letten.
We hadden ze nooit moeten laten gaan.'
'Koen weet precies hoe hij moet overleven.
Ik heb hem alles geleerd,' zegt meneer Wisse
'Ik kan met een punaise en een zakdoek een vlot bouwen voor veertig mensen.
Koen kan dat ook.'
'Ik weet het zo net nog niet,' zegt mevrouw Wisse.
'Ik heb al een paar keer gebeld, maar ze nemen niet op.
Pak jij wat spullen, we gaan ze zoeken.'
'Ik weet precies wat we nodig hebben,' roept meneer Wisse blij.
Hij gooit allerlei handige dingen in een rugzak.
Dan pakt hij de hondenriem en doet hun hond Bikkel de halsband om.
'Zoek!' roept hij.
Bikkel springt in het rond en trekt aan de riem.
Mevrouw Wisse pakt nog snel een fotocamera.
'Ik ben er klaar voor,' roept ze.

5. Smakelijk eten

Koen vindt het allemaal één groot avontuur.
Hij is helemaal niet bang.
Hij heeft tenslotte van zijn vader allerlei survivaltips geleerd.
Dit is de kans om Carola te laten zien dat hij helemaal niet zo onhandig is.
'Kijk,' zegt Koen, terwijl hij een stok opraapt.
'Als je wilt weten hoe laat het is, kun je deze stok in de grond zetten.
Als de zon op zijn hoogste punt is, heeft de stok een korte schaduw.
Het is dan 12 uur.
De zon komt op in het oosten en gaat onder in het westen, dat weet iedereen.
Als je dan een paar dagen de baan van de zon bekijkt, heb je een soort klok: een zonnewijzer.'
'Heel handig,' zegt Carola.
'Maar daar heb je niet zoveel aan als je verdwaald bent.
Dan weten we na een week alleen dat we om twaalf uur 's middags nog steeds verdwaald zijn.'
'Nou, het kan best handig zijn, hoor,' sputtert Koen tegen.
'Ik wil altijd graag weten hoe laat ik verdwaald ben.'
Carola kijkt in haar rugzak.
Er zit een kaart in en een zakmes met een kompas.

Carola kijkt naar de kaart en het kompas.
'Het is in ieder geval tijd om door te lopen,' zegt ze.
'En het is volgens mij die kant op.'
Koen en Carola lopen flink door.
Ze hebben gelukkig genoeg te eten en te drinken meegenomen.
Anders was het volgens Koen ook geen probleem geweest.
Volgens hem is er in de wilde natuur voldoende voedsel te vinden.
'Kijk,' zegt Koen, terwijl hij een soort appeltje opraapt.
'Als je wilt weten of iets eetbaar is, moet je het eerst testen.
Als het ruikt naar amandel of perzik, is het meestal giftig.
Niet eten dus.'
'En als het een echte perzik of amandel is?' informeert Carola.
'Dan kun je het wel eten,' zegt Koen.
'Verwarrend,' zegt Carola, 'maar vertel verder.'
'Kijk,' zegt Koen, 'apen lijken op mensen.
Als je een aap iets ziet eten, weet je bijna zeker dat mensen het ook kunnen eten.'
'Wat een geweldig idee,' lacht Carola.
'Dan wachten we nu gewoon tot er een aap langskomt die iets gaat eten.
En als er dan nog wat over is, eten wij het op.'
Koen schiet ook in de lach.
'Als je iets vindt en je weet niet of het eetbaar is, kun je

een klein stukje op je tong leggen.
Als je dan na een paar minuten geen dikke tong hebt of moet overgeven, lijkt het veilig om te eten.'
'Smakelijk,' zegt Carola, 'vertel verder.'
'Nou, dan kun je daarna een heel klein stukje doorslikken en een uur wachten.
Als er dan weer niets gebeurt, weet je bijna zeker dat het niet giftig is.'
'Bijna zeker?' vraagt Carola.
'Ja,' zegt Koen, 'als je het echt zeker wilt weten, moet je een hap nemen en echt een hele poos wachten.'
'Kun je mooi naar die zonnewijzer van je kijken of op die aap wachten,' spot Carola.
Uit de rugzak haalt ze een snoepreep.
'Hier,' zegt ze tegen Koen, 'eerst een klein hapje nemen en een uur op je tong houden.'
'Geef mij het papiertje maar.
Ik heb een idee.'

6. Spoorzoeken

'Volgens mij zijn ze hier geweest.'
Meneer Wisse kijkt naar een geknakt takje.
'Kijk, dat takje is geknakt in die richting.
Ze zijn die kant op gelopen.'
'Ik denk dat je gelijk hebt,' zegt mevrouw Wisse.
'Echt?' vraagt meneer Wisse.
Hij is eraan gewend dat zijn vrouw zijn survivaltips niet geloooft.
'Ja, echt,' zegt mevrouw Wisse.
'Dus jij denkt ook dat je aan dat takje kunt zien dat ze hier geweest zijn?' vraagt meneer Wisse achterdochtig.
'Ja,' zegt mevrouw Wisse, 'en aan dat snoeppapiertje dat ze er vlak boven aan de boom geprikt hebben.
Ze zijn zo slim geweest om een spoor achter te laten.'
'Dat papiertje had ik ook wel gezien, hoor,' zegt meneer Wisse.
Hij houdt het voor de neus van Bikkel.
'Zoek Koen en Carola,' roept hij.
'Marcel, niet doen,' roept mevrouw Wisse.
'Je weet toch dat Bikkel niet tegen suiker kan.'
'Stom, stom, stom!' roept meneer Wisse.
Hij had het kunnen weten.
Hij werkt zelf in een fabriek waar snoeprepen worden gemaakt.
Als hij thuiskomt van zijn werk, kleedt hij zich altijd snel

om.
Bikkel wordt anders helemaal gek van de zoete lucht.
Hij gaat dan niesen en rondjes rennen.
Maar nu is het al te laat.
Bikkel niest en niest nog eens.
'Ze horen ons in ieder geval aankomen,' zegt meneer Wisse.
'Gelukkig gaat het na een tijdje over.'
Mevrouw Wisse knielt neer en kijkt Bikkel aan.
'Sorry,' zegt ze, 'hij zal er voortaan op letten.'
Bikkel likt zijn eigen neus, er komt heel veel slijm uit.
Dan stopt hij opeens.
'Wat is er, Bikkeltje?' vraagt mevrouw Wisse.
Bikkel haalt diep adem.
Even kijken Bikkel en mevrouw Wisse elkaar aan.
Dan niest Bikkel keihard.
Mevrouw Wisse kan nog net haar ogen dichtdoen.
'Een natte neus is een teken van een goede gezondheid,' zegt meneer Wisse.
'Zo te zien zijn jullie allebei gezond.
Zullen we verder lopen of wil je eerst een doekje?'

7. Bewoonde wereld

'Kijk eens, Koen,' zegt Carola, 'ik zie daar de bewoonde wereld!'
Ze staan op een heuvel en zien in de verte het dak van een groot, stenen gebouw.
Het is een vreemd landschap.
Weilanden, een oude boerderij en een heel groot, oud gebouw.
Carola pakt haar camera en maakt snel een foto.
Koen rent de heuvel af.
'Ga nou niet hollen,' roept Carola nog.
Ze is niet meer te verstaan door de herrie die Koen maakt terwijl hij van de heuvel rent.
Koen valt en rolt door tot hij onderaan stil ligt.
'Ik heb niets, hoor,' roept hij naar Carola, die inmiddels ook bijna beneden is.

Koen en Carola lopen langzaam naar het gebouw toe.
De muren zijn hoog en grijs.
Het lijkt alsof het gebouw geen ingang heeft.
'Laten we er omheen lopen,' stelt Carola voor.
Aan de achterkant – of is het de voorkant – zit een grote, stalen deur.
Hij staat op een kier.
'Misschien hebben ze hier wel een telefoon,' zegt Carola, 'laten we naar binnen gaan.'

Ze duwen tegen de deur.
Er gebeurt niets.
De deur is te zwaar of ze zijn niet sterk genoeg.
De kier wordt in ieder geval niet groter.
Koen kijkt om zich heen.
'Ik heb een idee,' zegt hij eindelijk.
'Als we een grote stok in de spleet van de deur steken, hebben we een breekijzer.
Dat is een soort hefboom.
Als we tegen het lange eind duwen, kunnen we meer kracht zetten.'
'Goed, we proberen het gewoon,' zegt Carola.
Ze pakken de langste en dikste tak die ze kunnen vinden.
Die steken ze in de spleet van de deur.
'Nu duwen,' zegt Koen.
'Je zult zien dat het nu wel lukt.'
Dankzij de hefboom gaat de deur ver genoeg open om naar binnen te kunnen glippen.
Voorzichtig stappen Carola en Koen het grote gebouw in.
Hun ogen moeten even wennen aan het licht.
Koen ziet de machine als eerste.
'Coole condensator!' roept hij uit.

8. Het weerstation

'Nu weet ik het zeker,' zegt meneer Wisse.
Hij kijkt strak omhoog naar een vogelnestje in de boom.
'Kijk,' zegt hij, 'veel vogels bouwen hun nesten op een plekje dat niet pal in de wind ligt.
Als je weet wat de meest voorkomende windrichting in een gebied is, kun je bepalen waar het noorden of het zuiden is.'
'En weet jij dan wat hier de meest voorkomende windrichting is?' vraagt mevrouw Wisse.
'Eh nee, eigenlijk niet,' zegt haar man beteuterd.
'Dan hebben we er niet veel aan, schat,' zegt mevrouw Wisse geduldig.
'We weten ook niet precies welke kant Koen en Carola zijn opgegaan.'
Meneer Wisse kijkt naar de lucht.
'We kunnen ook wachten tot het donker wordt, dan kun je aan de sterren zien waar het zuiden en waar het noorden is.
De Poolster staat namelijk altijd boven het noorden en ...'
'Ho maar,' zegt mevrouw Wisse.
Ze wordt zelfs een beetje boos.
'Ik ben ongerust en jij houdt de boel eigenlijk alleen maar op met je survivaltips.
Het zal allemaal wel kloppen, maar je hebt er gewoon niet zo veel aan.

Net zoals dat weerstation dat je vorig jaar gebouwd hebt.'
Dat professionele weerstation van meneer Wisse was niet meer dan een touwtje met een handleiding.
Het touwtje moest je buiten ophangen.
In de handleiding stond:

touwtje droog	-	het is droog
touwtje nat	-	het regent
touwtje stijf	-	het vriest
touwtje onzichtbaar	-	het mist
touwtje weg	-	het stormt

Elke dag had meneer Wisse doodserieus naar het touwtje gekeken.
Toen was er een storm gekomen en was het touwtje echt weggewaaid.
Hij had nooit meer een nieuw weerstation gemaakt.

9. Niet Aankomen!

De hal van het grote gebouw is leeg, op één heel groot ding na.
En wat voor een ding!
'Bolle batterijen!' roept Koen vol ontzag.
'Wauw,' zegt Carola en ze pakt snel haar camera en maakt een paar foto's.
Koen rent als een jonge hond heen en weer.
'Wat doe je?' vraagt Carola.
'Ik zoek een stekker,' zegt Koen.
'Dat ding heeft vast een stekker en een enorm stopcontact waar die in moet.'

Dat is nog zo'n eigenaardigheid van Koen.
Behalve dingen bedenken en bouwen, is hij ook gek op alles wat stroom nodig heeft.
Of zoals hij zelf altijd zegt: 'Alles met een stekker is lekker.'
'Wacht nou even!' roept Carola.
'Laten we dat ding eerst eens wat beter bekijken.'
'Goed,' zegt Koen en hij komt bij Carola staan.
Ze bekijken de machine van links naar rechts en van boven naar beneden.
Het is echt een enorm apparaat met lampjes, knoppen, rollers, hendels, haken en stampers.
En nog een heleboel dingen, die Koen ook niet herkent.
Eén ding valt heel erg op: aan de rechterkant zit een grote, rode knop.
Zo'n knop die je gebruikt om iets aan te zetten.
Koen heeft hem ook gezien en rent ernaartoe.
Hij wil er net op slaan als Carola hem tegenhoudt.
'Kijk eens wat daar staat,' zegt ze.
Ze wijst op een bordje vlak boven de knop.
Er staat iets op.
Er ontbreken een paar letters, maar het meeste is nog te lezen.
Koen leest hardop voor wat erop staat.
'Ni.. Aankomen.'
'Niet Aankomen,' zegt Carola.
'Daar staat natuurlijk *Niet Aankomen.*

En dat staat er echt niet voor niets.'
'Jammer,' zucht Koen, 'ik ben zo nieuwsgierig.'
Dan wijst hij naar de grond.
'Hier liggen allemaal losse onderdelen.
Die komen vast uit die machine, hij is zeker kapot.'
Koen is nu echt niet meer te houden.
Zijn ogen glinsteren en hij staat te draaien als een opwindspeeltje.
Als er iets kapot is, dan moet en zal hij het maken.
Niets of niemand kan hem dan nog tegenhouden.
'Ik denk dat het niet verstandi...'
Carola kan haar zin niet meer afmaken.
Koen heeft het eerste onderdeel al opgeraapt.

10. Dat gaat niet goed ...

'Volgens mij zijn we nu toch echt verdwaald.'
Meneer Wisse zakt uitgeput tegen een boom.
Hij wist het zweet van zijn voorhoofd.
Mevrouw Wisse staat met één hand boven haar ogen vanaf een heuvel te kijken.
'Ik weet ook niet precies waar we zijn,' zegt ze en kijkt nog eens op de kaart.
'Het lijkt wel of dit gebied er niet op staat.
Heb je nog een paar van die survivaltips of zullen we maar weer gewoon gaan lopen?'
'Nou, het blijft in ieder geval droog,' zegt meneer Wisse.
'Dat weet ik dan weer wel.'
In zijn hand heeft hij een dennenappel.
'Kijk,' zegt hij, 'als het vochtig weer wordt, gaat een dennenappel dicht.
Deze staat helemaal open, dus het blijft droog.'
'Dat is in ieder geval fijn om te weten,' zegt mevrouw Wisse droogjes.
Ze graait in haar rugzak.
'Ik heb honger,' zegt ze.
'En we hebben niets te eten meegenomen.'
'Ik heb ook honger,' zegt meneer Wisse.
Dan springt hij op.
'Kijk eens, een cantharel,' roept hij blij, 'dat is een eetbare paddenstoel.

Voedzaam en gezond.'
'Weet je het zeker?' vraagt mevrouw Wisse.
Ze vertrouwt het niet helemaal, maar ze heeft ook erge honger.
De cantharel ziet er smakelijk uit.
Ze ruikt er even aan.
'Honderd procent zeker weten,' zegt meneer Wisse.
'Ik herken deze soort van toen ik nog in het leger zat.
Die aten we toen elke dag.
Het is de Cantharellus Colossos.
Volkomen ongevaarlijk.'
'Vooruit dan maar,' zegt mevrouw Wisse en ze neemt een flinke hap.
Dat smaakt inderdaad niet verkeerd.
Beetje naar perzik en amandelen door elkaar.
'Als het nou toch gaat regenen, kunnen we regenwater opvangen in een zeiltje.
Dan hebben we iets te drinken,' zegt meneer Wisse.
'Fgaat nie fo foed,' zegt mevrouw Wisse.
'Wat zeg je schat?' zegt meneer Wisse, terwijl hij in de rugzak alvast naar een zeiltje zoekt.
'Fgaat nie fo foed,' zegt mevrouw Wisse nog een keer.
Ze is nauwelijks nog te verstaan.
Haar lippen zijn opgezwollen en lijken wel vijf keer zo groot.
'Die pfaddenstoel is fniet goed,' zegt ze, terwijl ze er met een vies gezicht naar kijkt.

Nu ziet meneer Wisse het ook.
Hij pakt de paddenstoel aan.
'Dan is het toch niet de Cantharellus Colossos,' zegt hij.
'Dan is het zeker de Cantharellus Dikkelippus.
Die lijkt er echt sprekend op.
Wat een domme vergissing.
Maar geen paniek, het gaat vanzelf over.'
Hij kijkt nog eens naar mevrouw Wisse.
'Staat je eigenlijk best goed, weet je dat?' zegt hij.
'Net een fotomodel.
Weet je wat we doen?
Ik zie daar in de verte een groot gebouw en iets wat op een boerderij lijkt.'
Laten we daar maar heen lopen.'
'Fwukkel,' slist mevrouw Wisse.
'Inderdaad, vergeet de rugzak niet,' zegt meneer Wisse.
'Kom we gaan.'

11. Het tandwiel

'Kijk,' zegt Koen, 'dit is een tandwiel.
Dat heb ik van Bas geleerd.
Jammer dat hij er niet bij is.
Hij is net zo gek op techniek als ik.
Hij was van deze machine gaan watertanden!
Als we het tandwiel nou eens op de goede plek
terugzetten, kan de machine weer draaien.'
Het tandwiel is zwaar en stoffig.
'Al dat stof kan nooit goed zijn,' zegt Koen.
'Als dingen moeten draaien, moet dat gemakkelijk gaan.
Ik ga hem poetsen.'
'Koen,' vraagt Carola, 'zou je dat nou allemaal wel doen?
Er staat toch niet voor niets *Niet Aankomen* bij die
machine?'
'Dat betekent natuurlijk dat je hem niet mag aanzetten,'
zegt Koen.
'Iets repareren mag altijd, wat kan er misgaan?'
Carola weet precies wat er mis kan gaan, maar ze vindt
het ook wel spannend.
'Weet je,' zegt ze, 'ik maak eerst een foto van je.'
Met haar digitale camera legt ze Koen met het tandwiel
op de foto vast.
'Kijk,' zeg ze, 'als we nu iets fout doen, kunnen we op het
schermpje zien hoe het was.
Ik maak gewoon steeds een foto, dan kunnen we altijd

een stap terug.'
'Goed plan,' zegt Koen, 'ik ben er klaar voor.'
Koen bekijkt het tandwiel nog eens goed.
'Kijk,' zegt hij, 'tandwielen heten zo omdat het eh...
wielen zijn met tanden.
Aan één tandwiel heb je niet zoveel.
Maar als je er twee hebt, kun je met de een de ander laten draaien.
Je kunt er ook een ketting omleggen, net als bij je fiets.'
'Ik vind het een vreemde naam,' zegt Carola.
'Alsof het een wiel is dat iets kan opeten.
Dan had het net zo goed gebitwiel kunnen heten.'
'Dat maakt toch niet uit,' zegt Koen.
'Er zijn wel meer rare namen.
Wat dacht je van flux-halogeen-led-lcd?
Dat is gewoon een mooi woord voor lampje.'
Koen veegt met zijn shirt het stof van het tandwiel.
'Een tandwiel moet smerig zijn,' zegt hij.
'Waarom maak je hem dan schoon?' vraagt Carola.
'Ik bedoel niet dat hij vies moet zijn, maar dat er een beetje olie of vet op moet.
We moeten hem smeren.'
Koen kijkt om zich heen.
Er is geen olie of smeer te bekennen.
'Zal ik erop spugen?' vraagt hij dan aan Carola.
'Of je gebruikt dit,' zegt Carola.
In haar hand heeft ze een fles zonnebrandolie.

Die zat in haar rugzak.
'Briljant,' roept Koen, 'daar zit olie in.'
Koen smeert het tandwiel in.
'Zo glad als een paling in een emmer snot,' zegt hij tevreden.
'Jakkes,' zegt Carola.
'Nu moeten we nog de plek kiezen waar het tandwiel hoort te zitten.'
Ze bestuderen allebei de machine.
Er zijn drie plekken waar duidelijk iets ontbreekt.
'Ik denk dat het daar moet,' zegt Carola en ze wijst een plekje aan.
'Ik denk dat je gelijk hebt,' zegt Koen.
Samen duwen ze het tandwiel terug in de machine.

Kijk goed naar de tekening van de machine op bladzijde 26 en 27. Waar zou jij het tandwiel plaatsen?

12. Dichte broekspijpen

'Dat is nou vervelend,' zegt meneer Wisse.
Ze zijn onder aan de heuvel gekomen en zien in de verte het grote gebouw liggen.
Het ligt aan het water.
'Deze beek is te breed om overheen te springen en omlopen gaat ook niet,' zegt meneer Wisse.
'We hebben iets nodig om er overheen te komen.'
Bikkel staat te blaffen aan de kant.
Hij is dol op zwemmen.
Mevrouw Wisse kan hem nog maar net houden.
Ze houdt de riem stevig vast.
'Dat wordt een eind omlopen,' zegt ze.
Haar lippen zijn nog wel dik, maar ze praat weer verstaanbaar.
Meneer Wisse denkt hardop even na.
'Hoe deden ze dat ook alweer in het leger of bij de scouting?
We kunnen een paar bomen omhakken en een brug bouwen.'
'Waar hakken we die mee om dan?' vraagt mevrouw Wisse ongeduldig.
'Het scherpste dat ik bij me heb, is een haarborstel.
Dat gaat jaren duren.'
'Ik weet het,' zegt meneer Wisse.
'Als je je broekspijpen dichtbindt met touw, komt er geen

water in.
Als je dan door het water loopt, heb je alleen natte voeten.'
Mevrouw Wisse gooit een steentje in het water.
Het is behoorlijk diep.
'Goede tip,' zegt ze, 'maar het water is veel te diep.
Ik wil echt niet van top tot teen nat worden.
Er zit niets anders op dan om te lopen.
Maar welke kant op?'
'Volg het stokje,' zegt meneer Wisse.
'Volg het stokje?' herhaalt mevrouw Wisse.
Meneer Wisse pakt een stevige tak en gaat aan de waterkant staan.
'Als je een stokje in het water gooit, zie je welke kant het op drijft.
Als je met de stroom meeloopt, kom je altijd in bewoond gebied.
Hop!' roept hij en hij gooit het stokje met een ferme zwaai het water in.
Bikkel aarzelt geen seconde.
Hij is dol op dit spelletje.
Thuis spelen ze het zo vaak.
Het baasje gooit een stok weg en hij mag hem gaan halen.
'Bikkel, niet doen!' roept mevrouw Wisse nog.
Maar Bikkel neemt een korte aanloop en duikt het water in.

Hij was alleen vergeten dat mevrouw Wisse hem nog vast heeft.
Die wankelt een seconde op één been en valt dan voorover in het water.
Leuk, denkt Bikkel.
We spelen wie als eerste de stok heeft.
Nat en blij staat hij even later met de stok in zijn bek weer op de kant.
Net zo nat, maar veel minder blij, staat mevrouw Wisse even later ook weer op de kant.
'Had nou je broekspijpen maar dichtgebonden,' zegt meneer Wisse.
'Zullen we toch maar een stukje omlopen?'

13. Het tweede onderdeel

Het tandwiel zit ondertussen stevig op zijn plaats.
'Wat voor machine zou het toch zijn?' vraagt Koen zich af.
Koen en Carola kijken er nog eens goed naar.
Ze zien allemaal rollen, metertjes, schakelaars, scharnieren en nog twee lege plekken.
'Als jij zelf zo'n machine kon maken, wat zou het dan voor machine zijn?' vraagt Koen aan Carola.
Carola denkt even na.
'Ik zou een machine bouwen die iets kan wat geen enkele andere machine kan.
Bijvoorbeeld een *maak een foto van gisteren*-machine.'
'Een wat?' vraagt Koen.
'Nou, een *maak een foto van gisteren*-machine.
Ik maak graag foto's en heel vaak denk ik de volgende dag: wat jammer dat ik daar geen foto van gemaakt heb.
Maar dan is het al te laat.
Met een *maak een foto van gisteren*-machine kun je altijd een dag teruggaan om die foto te maken.'
'Wat een fantastisch idee,' zegt Koen, 'maar waarom alleen van gisteren?
Als het toch een tijdmachine is, kun je naar elke dag teruggaan die je zou willen.
Dan kun je bijvoorbeeld je eigen babyfoto's maken.'
'Nee, dat kan niet,' lacht Carola, 'want dan weet je nog

niet hoe een camera werkt.
Als het een tijdmachine zou zijn, zou ik teruggaan naar vanochtend.
Dan zou ik tegen jou zeggen: "Die trektocht is toch niet zo'n goed idee."'
Carola pakt nog een onderdeel van de grond.
'Wat een grappig ding,' zegt ze.
'Het lijken wel gevouwen stukjes metaal.'
'Dat is een schaarmechaniek,' zegt Koen.
Hij kijkt er heel interessant bij.
'Dat zijn hefbomen die in het midden draaien.
Moet je kijken.'
Koen beweegt de onderste twee helften naar elkaar.
Met een enorme vaart schuiven de scharnieren uit elkaar.
Het hele ding is opeens heel erg lang.
Er schiet ook iets los.
'Kijk uit,' roept Carola.
'Wat een gevaarlijk ding, wat heb je aan zoiets?'
'Het wordt gebruikt in traphekjes of in een hoogwerker die glazenwassers gebruiken.
Als ik jouw camera erop vastmaak, kun je een foto boven je hoofd maken.'
'Hoe druk je dan op het knopje om de foto te maken?' vraagt Carola.
'Eh, met een ladder?' zegt Koen.
Koen kijkt naar het schaarmechaniek.
'Het is kapot,' zegt hij dan.

'Er is een pennetje losgeschoten.
Bas weet vast hoe je dat moet maken.
Hij is superhandig.
Jammer dat we hem niet even kunnen bellen.'
Carola kijkt even naar het mechaniek.
Dan haalt ze een haarspeld uit haar haar.
'Ik heb een idee, dit past vast wel,' zegt ze.
Koen duwt het speldje door het gaatje.
Het pas perfect!
'Jij bent eigenlijk heel handig,' zegt hij dan tegen Carola.
Carola kijkt Koen lachend aan: 'Dank je.'
'Ik zie nog twee plekken waar we iets terug kunnen zetten.
Ik denk dat het daar moet.'
Carola kijkt naar de plek die Koen aanwijst.
'Ik denk dat je gelijk hebt,' zegt ze.
'Maar eerst maak ik nog een foto.'

Kijk goed naar de tekening van de machine op bladzijde 26 en 27. Waar zou jij het schaarmechaniek plaatsen?

14. Een prachtig plaatje

'Ben je al weer droog?' vraagt meneer Wisse.
Ze hebben intussen al een heel eind gelopen.
'Nee,' zegt mevrouw Wisse.
'Ik had me deze vakantie heel anders voorgesteld.
Ik wilde rust en een beetje in de zon liggen.
Foto's maken en een keer helemaal bruin worden.'
Mevrouw Wisse moppert nog een tijdje door.
Ze zijn nu bijna bij het grote gebouw.
Het landschap is prachtig.
Er staat een oud boerderijtje met een koe.
'Wat een prachtig plaatje,' zegt mevrouw Wisse.
Ze pakt haar camera en loopt naar de boerderij toe.
Meneer Wisse steekt zijn neus in de lucht.
'Heerlijk,' zegt hij, 'de geur van vroeger.
Echte koeienpoep.'
Mevrouw Wisse heeft al een paar foto's gemaakt.
Die gaat ze thuis vergroten om op te hangen.
'Zal ik een foto van jou maken?' vraagt meneer Wisse,
'met de boerderij op de achtergrond?'
Mevrouw Wisse is helemaal enthousiast.
'Goed,' zegt ze, 'dan ga ik bij dat muurtje staan.'
'Klim erop, dat is nog mooier,' zegt meneer Wisse.
'Het ziet er niet stevig uit en het stinkt hier,' zegt
mevrouw Wisse, terwijl ze erop klimt.
'Geen paniek,' zegt meneer Wisse, 'zo'n gemetselde

verbinding is ijzersterk.'
Mevrouw Wisse gaat op het smalle muurtje staan.
Ze doet haar natte haren een beetje goed en lacht naar de camera.
Meneer Wisse maakt de foto.
'Weet je wat leuk zou zijn?' zegt meneer Wisse dan.
'Als je die koe aait.'
'Koetje, kom dan,' roept mevrouw Wisse.
De koe reageert niet.
'Misschien is het een buitenlandse koe,' zegt meneer Wisse.
'Koetje, Koeios, koekeloeris,' zegt mevrouw Wisse.
De koe komt dichterbij en nóg dichterbij.
Ze stopt niet, maar loopt gewoon door.
'Stop!' roept mevrouw Wisse.
'Lachen naar de camera!' roept meneer Wisse.
Dan duwt de koe mevrouw Wisse van het muurtje.
Ze wappert met haar armen en valt plat achterover.
Meneer Wisse en Bikkel rennen ernaartoe.
'Pfjoe,' knijpt meneer Wisse zijn neus dicht.
'Hatsjie,' doet Bikkel die meteen weer wegrent.
Mevrouw Wisse kruipt langzaam over het muurtje.
Met een woedende blik kijkt ze naar meneer Wisse.
'Nu weet ik waar die geur van vroeger vandaan komt,' zegt meneer Wisse.
'Je zei net nog dat je deze vakantie helemaal bruin wilde worden, nou, dat is wel gelukt.'

15. Het laatste onderdeel

'Nog één onderdeel,' zegt Koen.
'Als we dat terugdoen, is de machine gerepareerd.'
Op de grond ligt een lange rol met een zachte buitenkant.
Het lijkt wel rubber.
'In de machine zitten allemaal van dit soort rollen,' zegt Carola.
'Die drukken tegen elkaar aan.
Een beetje zoals een tandwiel zonder tanden.
Ik denk dat er iets tussendoor moet lopen.'
Koen kijkt nog eens goed.
'Misschien is het wel een supermoderne wasmachine,' zegt hij.
'Aan de ene kant loop je er vuil in.
Aan de andere kant kom je er dan helemaal droog weer uit.'
'Droog, maar wel zo plat als een dubbeltje,' lacht Carola.
'Misschien is het wel een grote vruchtenpers.
Aan de ene kant gooi je er fruit in en aan de andere kant komt het sap eruit.'
De fantasie van Koen slaat gelijk op hol.
'Ik weet het!' roept hij uit, 'het is een superpers.'
'Een wat, ik kan het niet eens nazeggen,' zegt Carola, 'een citruspers?'
'Een su-per-pers,' zegt Koen nog eens.
'Een pers die bedoeld is om alles samen te persen wat

kleiner moet worden.
Stel dat je op vakantie gaat en je hebt net een mooie, grote televisie gekocht.
Die wil je dan natuurlijk meenemen.
Even door de superpers halen en hij is klein genoeg om mee te nemen.
Je complete televisie past dan in een zakje.'
Carola denkt even na.
'Maar hoe zet je hem dan weer in elkaar?' vraagt ze.
Koen haalt zijn schouders op.
'Misschien aan de andere kant van de superpers erin doen en dan de machine achteruit laten draaien.'
Carola zucht nog maar eens.
'Maar om al die dingen kleiner te maken, moet je dan wel een enorme machine meenemen.
Laten we die rol nou maar terugzetten en kijken wat voor machine het echt is.
Volgens mij kan het maar op één plek.'
Koen is beledigd: 'Jij weet het altijd beter, doe jij het maar,' moppert hij.
Carola pakt de rol op en duwt hem terug in de machine.

Kijk goed naar de tekening van de machine op bladzijde 26 en 27. Waar zou jij de rol plaatsen?

16. De machine is compleet

'De hele machine is nu weer compleet.
Ik ga NU op de knop drukken,' zegt Koen.
'Ben je gek geworden?' zegt Carola.
'Er hangt toch een bord op met *Niet Aankomen?*
Dan moet je er dus vooral niet aankomen.'
'Dat hebben we toch allang gedaan,' zegt Koen.
'We hebben allerlei onderdelen teruggezet.
We zijn er dus al aan geweest.
Dan kan dat laatste er ook wel bij.
Kom op, laten we het doen.
We slaan op de knop.'
Carola twijfelt nog.
Ze weet best hoe het meestal afloopt als Koen een apparaat aanzet.
Maar ze weet ook dat Koen niet te houden is.
Dus kan ze het maar beter zelf doen.
'Vooruit dan maar,' zucht ze.
'Even aan en dan gelijk weer uit.'
Carola is stiekem ook wel heel erg nieuwsgierig naar wat het voor machine is.
'We doen het net als bij een lancering van een raket,' zegt Koen.
'We tellen terug van tien naar nul en dan slaan we samen op de knop.'
Hij begint te tellen.

'10, 9, 8, 7, 6, 5, 4 ...'
Hun handen hangen nu vlak boven de knop.
'... 3, 2, 1 ... nu!'

'Stooooop!'
Koen en Carola schrikken zo dat ze een meter de lucht in springen.
Van alle kanten wordt er opeens stop geroepen.
In de deuropening staan twee schimmige figuren met een hond.
Koen herkent er een als zijn vader.
En de hond is Bikkel.
Maar wie is toch die rare, bruine, stinkende figuur naast papa?
'Koen, Carola!'
Dan herkent Koen de stem.
'Mama?' vraagt hij verbaasd.

Carola heeft zich ook omgedraaid.
Naast de machine staat nóg een figuur.
Het is een lange man met een witte stofjas aan.
Hij heeft een riem om met allerlei gereedschap eraan.
'Stop,' zegt hij nog eens, 'niet aankomen.
Je hoeft niet bang te zijn,' zegt de onbekende man.
'Ik ben niet boos, maar de machine is nog niet helemaal compleet.
Hij mag nog niet aangezet worden.

Wie zijn jullie eigenlijk en wat doen jullie hier?'

Koen en Carola vertellen het complete verhaal.
Dan vertelt meneer Wisse wat ze onderweg allemaal meegemaakt hebben.
Mevrouw Wisse luistert alleen maar.
Af en toe schudt ze haar hoofd.
'Wat een avontuur,' zegt de man.
'En fijn dat u zo'n handige man hebt,' zegt hij tegen mevrouw Wisse.
Mevrouw Wisse gromt alleen maar.
'Ik zal me ook maar even netjes voorstellen,' zegt de man dan.
'Mijn naam is Aankomen, Nico Aankomen.
Ik heb deze machine gebouwd.
Kijk maar, mijn naam staat er zelfs op.'
Hij wijst naar het bordje met *Ni.. Aankomen.*
'Ja, het bordje is een beetje vies, maar daar staat mijn naam: Nico Aankomen.'
Koen en Carola kijken elkaar aan.
Er stond dus helemaal niet *Niet Aankomen.*
'Nu willen jullie natuurlijk weten wat voor machine dit is,' zegt Nico.
'Graag,' zegt Carola.
Koen knikt zo hard dat zijn hoofd er bijna afrolt.
'Dit gebouw was vroeger een drukkerij.
Hier werden boeken gemaakt,' vertelt Nico.

'Ik was de directeur.
De drukkerij is later verdwenen en deze drukpers was niet meer nodig.
Maar omdat ik hem zelf ontworpen heb, is het mijn hobby geworden.
Elke zaterdag kom ik hier om wat onderdelen eruit te halen.
Ik kijk ze na, maak ze schoon en repareer ze.
Ik heb de machine ook helemaal gemoderniseerd.
Digitale besturing door de computer en dat soort dingen.
Als ze me ooit weer nodig hebben, ben ik er klaar voor.'

17. De rode knop

‘Daarom lagen al die onderdelen op de grond,’ zegt Koen.
‘U was ze aan het nakijken en schoonmaken.’
‘Precies,’ zegt Nico, ‘maar dat hebben jullie nu al voor me gedaan.
Alles is weer tiptop in orde.’
‘Dus met deze machine kunt u een boek maken?’ vraagt Carola.
‘Ja,’ zegt Nico, ‘het is een door mij uitgevonden drukpers.
Willen jullie het eens zien?’
‘Graag!’ roept iedereen.
‘Goed,’ zegt Nico, ‘let op.
Voor een boek heb je natuurlijk een aantal dingen nodig.
Waar denken jullie aan?’
‘Papier voor de bladzijden,’ roept Carola.
‘Karton voor de kaft,’ roept Koen.
‘Een goed verhaal,’ zegt meneer Wisse.
‘Foto’s of tekeningen,’ zegt mevrouw Wisse.
‘Heel goed,’ zegt Nico.
‘Ik heb alle materialen, zoals inkt en papier, maar ik heb geen tekst en ook geen foto’s.
We moeten dus even improviseren.’
‘Ik heb wel foto’s,’ zegt Carola.
‘Ik ook,’ zegt mevrouw Wisse.
‘Geweldig, dan hebben we bijna alles.
Geef mij de camera maar even.

We maken eerst nog even een foto.
Ga allemaal maar even bij de machine staan.
Heel goed, even lachen ...'
Nico maakt een paar mooie foto's.
Dan haalt hij de geheugenkaartjes uit de digitale camera's.
De kaartjes steekt hij in een klein kastje naast de machine.
Op een monitor bekijkt hij alle foto's.
Af en toe schiet hij in de lach en kijkt hij naar mevrouw Wisse.
'Ik ben zover,' zegt hij dan.
'Wie wil er op de knop drukken?'
'Ik, ik!' roepen Koen en Carola tegelijk.
'Ga maar klaar staan,' zegt Nico.
Met rode wangen van opwinding staan Koen en Carola bij de grote, rode knop.
Eindelijk gaat het gebeuren.
'Waar waren we gebleven?' zegt Koen.
'O ja: 3, 2, 1 ... 0!'
Dan drukken Carola en Koen op de grote, rode knop.

18. Het boek

Even lijkt het alsof er niets gebeurt.
Dan begint de machine te stampen en te trillen.
Alle onderdelen bewegen, draaien, verschuiven of gaan open en dicht.
Papier flitst voorbij.
Inktflessen worden leeg geknepen.
Er is een lopende band die draait.
Af en toe sist er iets.
Alle onderdelen die Koen en Carola teruggezet hebben, werken perfect.
Dan gaat er een grote, groene lamp branden en stopt de machine.
'Ga maar eens kijken of het gelukt is,' zegt Nico.
Hij kijkt trots.
'Als je aan het eind van de lopende band kijkt, moet het boek daar liggen.'
Koen en Carola rennen ernaartoe.
'Sissende slijptol!' roept Koen uit.
Daar ligt een boek, een écht boek.
Een dik boek met echte bladzijden en een echte kaft.
Op de kaft staat een foto.
Het is de foto die Nico als laatste gemaakt heeft.
Koen pakt het boek en geeft het aan Carola.
Het boek ziet er geweldig uit.
Er staat zelfs een titel op: *Niet Aankomen!*

‘Dat leek me wel een passende titel,’ zegt Nico.
Carola slaat het boek open.
Er staan geen letters in.
‘Het verhaal mogen jullie zelf schrijven,’ zegt Nico.
‘De kaft, foto’s en bladzijden heb je nu al.
Schrijf al je avonturen maar op.
Wie weet is er ooit nog eens iemand die het zal lezen.’
‘Onze vriend Bas kan ons avontuur dan thuis nalezen,’
roept Koen.
Carola vindt het een geweldig idee.
Dan nemen ze afscheid van Nico en zijn prachtige
machine.

‘Kom, we gaan weer naar de camping,’ zegt meneer
Wisse.
‘Loop maar achter mij of Koen aan, dan kan er niets
misgaan.’
Mevrouw Wisse kijkt Carola even aan.
‘Ik zou mijn broekspijpen maar alvast dichtbinden,’ zegt
ze alleen maar.

Op pagina 34 praten Koen en Carola over hun beste vriend Bas. Bas houdt net als Koen veel van techniek. Maar het meest houdt hij van zijn vader. Hij spaart voor een geweldig cadeau voor papa: een echte auto. Of dat lukt, lees je in 'Een auto voor papa'.

In deze serie zijn de volgende Bikkels verschenen:

Niet Aankomen!
Een auto voor papa
Meer dan negen meter
Camping Citroen
Marina en de Pauwenkroon
Wat een held!
Boy, een stripheld met een stiefzus
De gevaarlijke tocht

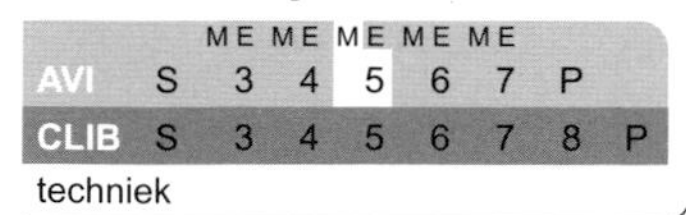

1e druk 2009

ISBN 978.90.487.0135.3
NUR 282

Illustraties: Jan van Lierde
Vormgeving: Rob Galema
Uitgeverij Zwijsen B.V., Tilburg

Voor België:
Uitgeverij Zwijsen.be, Antwerpen
D/2009/1919/65